A Sandra

D1251047

¡ah!

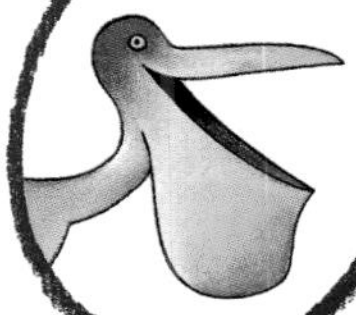

JOSSE GOFFIN

kalandraka

Título original: AH!

Colección libros para soñar
© de esta edición:
Kalandraka Ediciones Andalucía, 2007
Primera edición: octubre, 2007
ISBN: 978-84-96388-68-0
DL: SE 3578-2007

© de la edición original:
Rainbow Grafics Intl-Baronian Books
63, rue Charles Legrelle, Brussels, Belgium
© de las fotografías:
Reunión des Musées Nationaux, París
Sucesores de Picasso, París, 2003

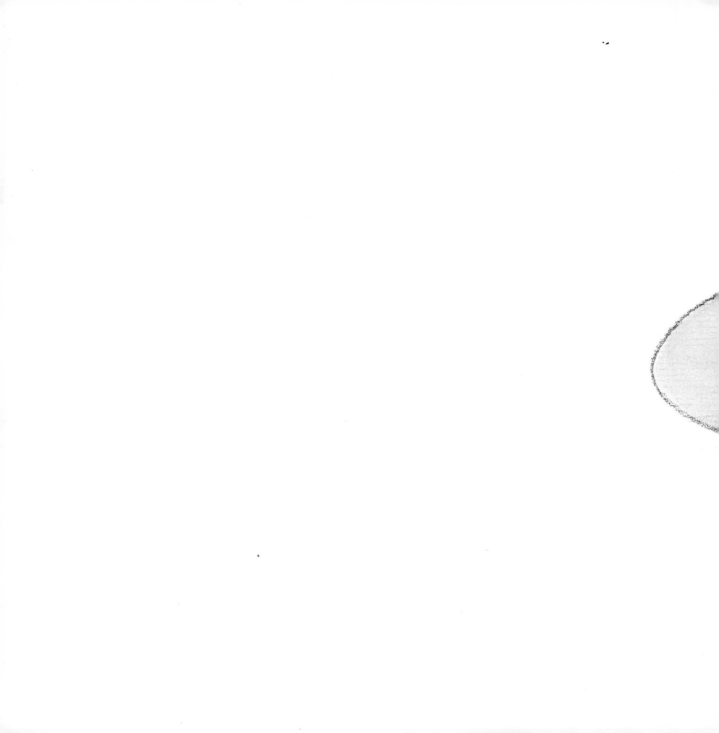

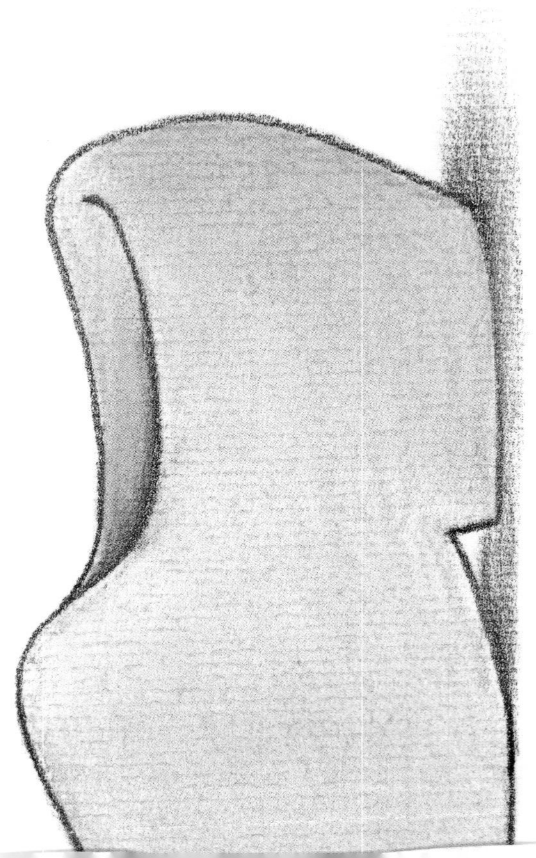

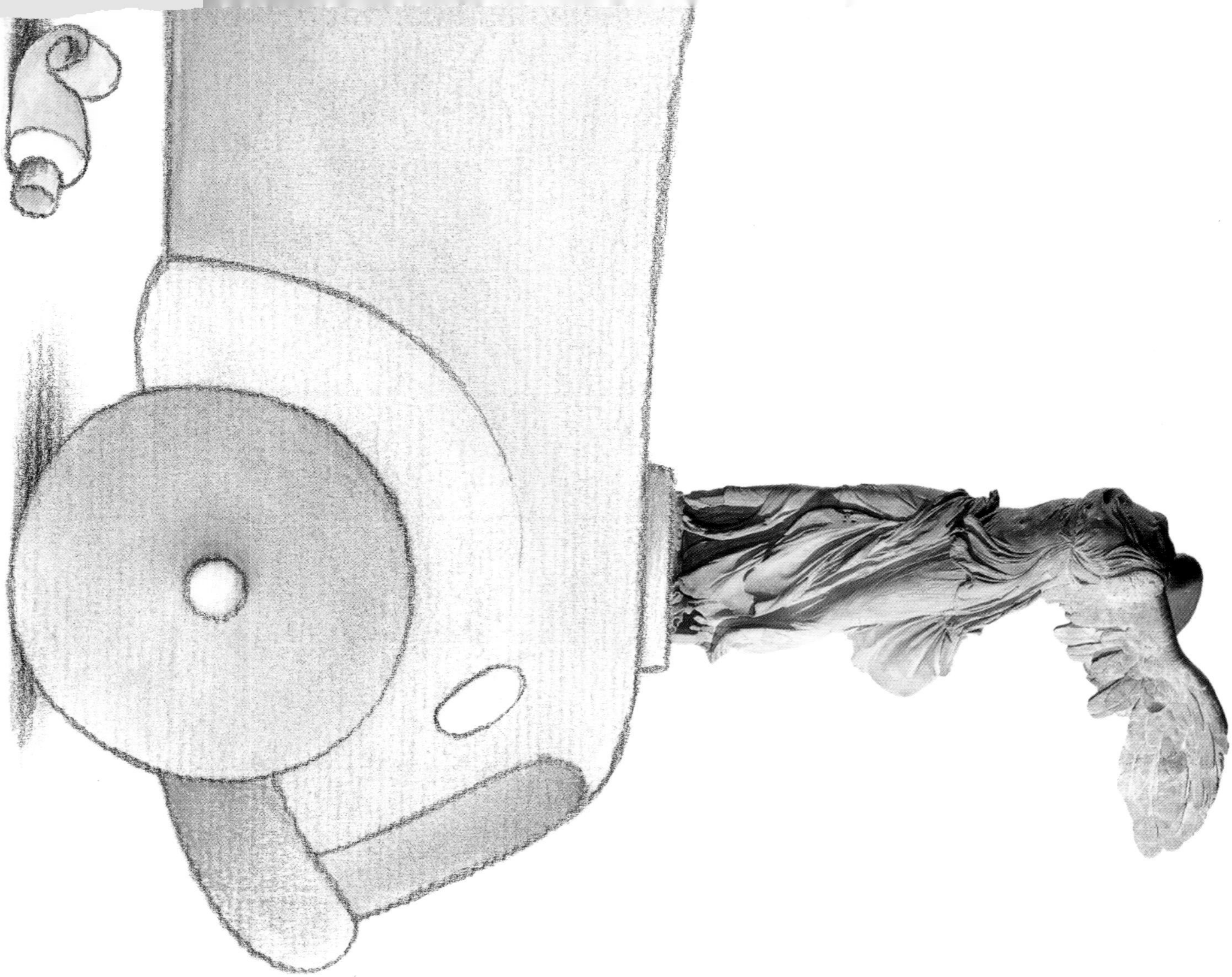

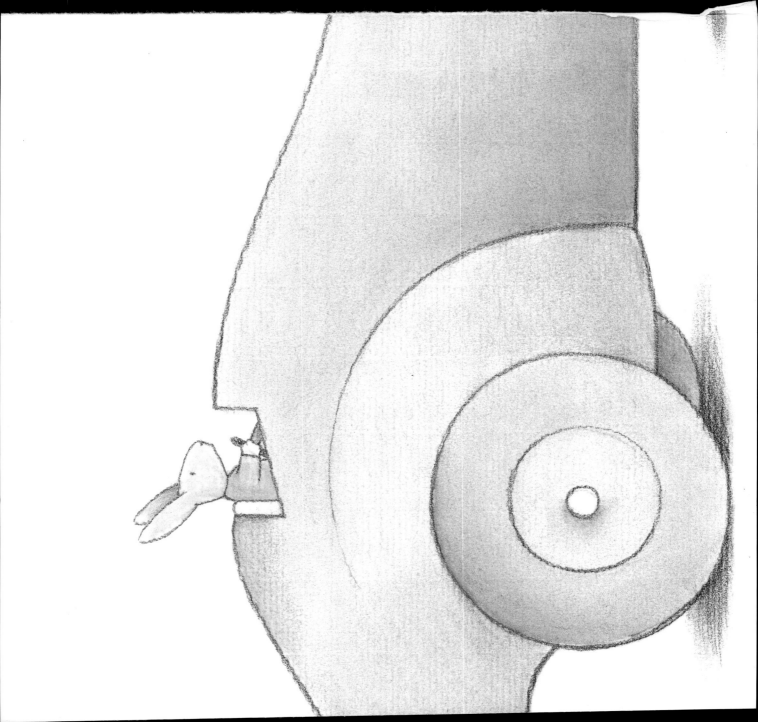

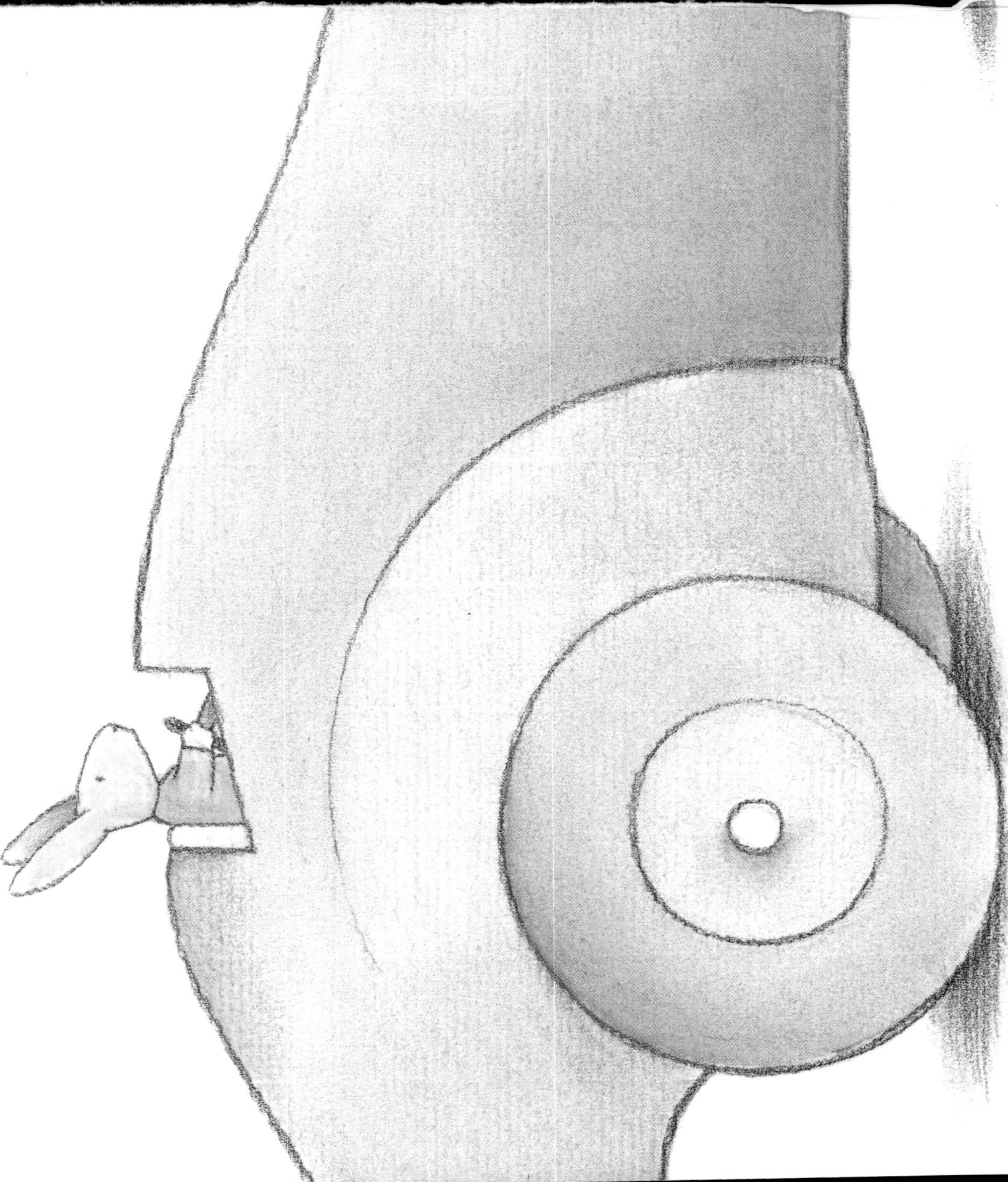

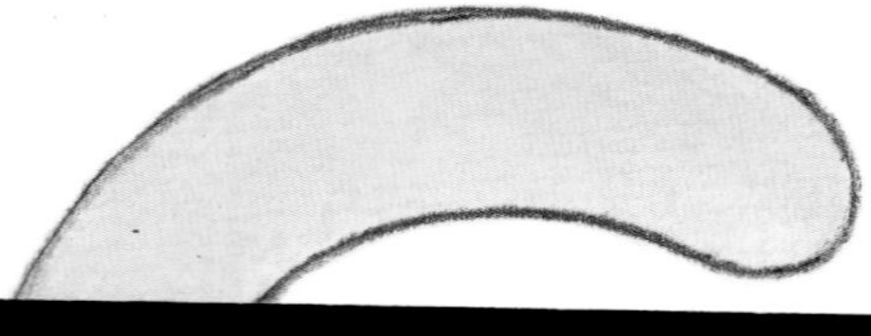

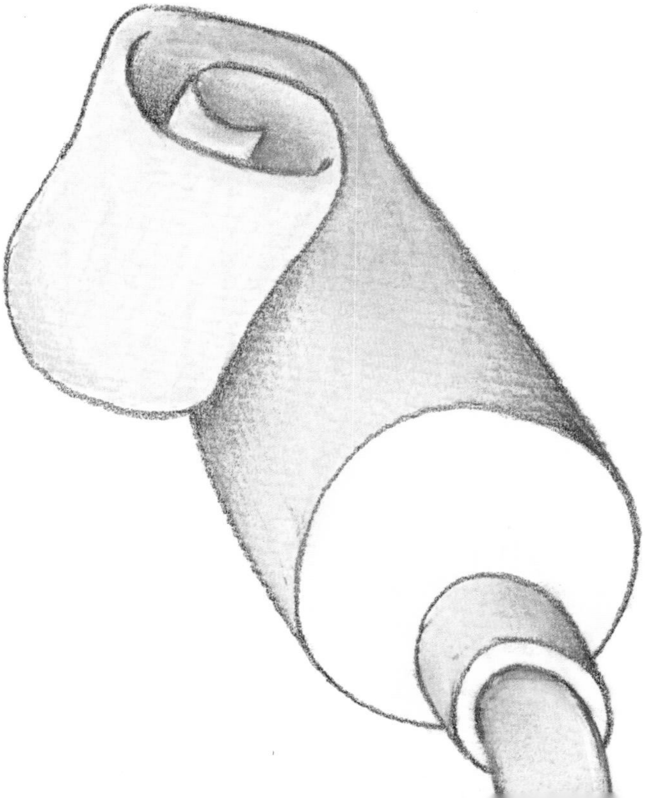

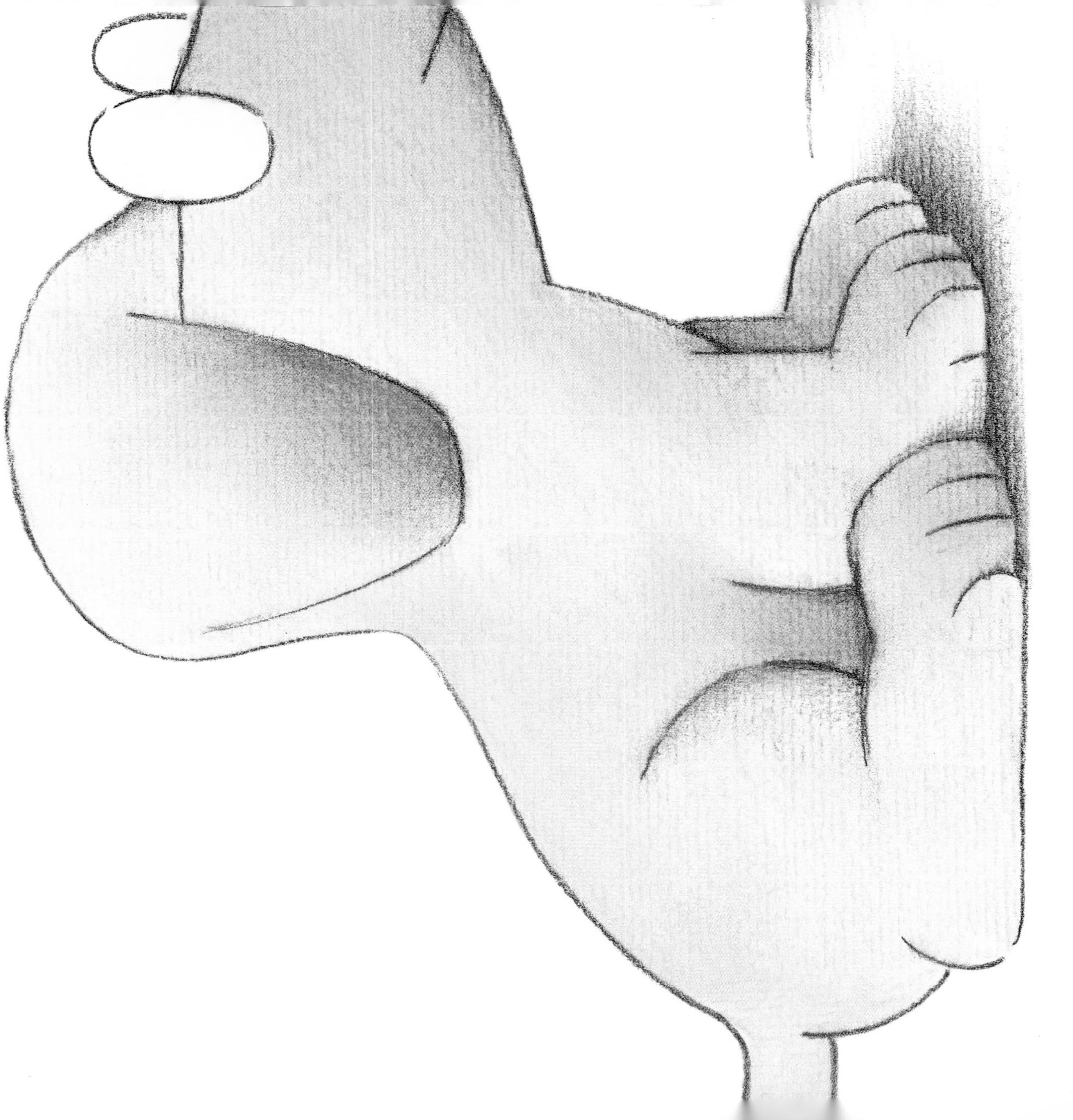

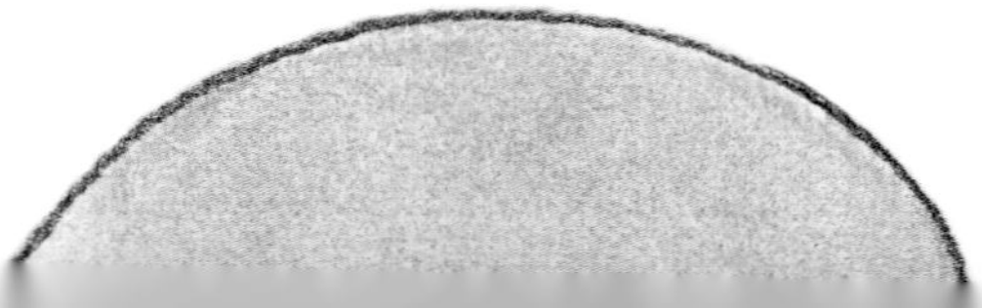

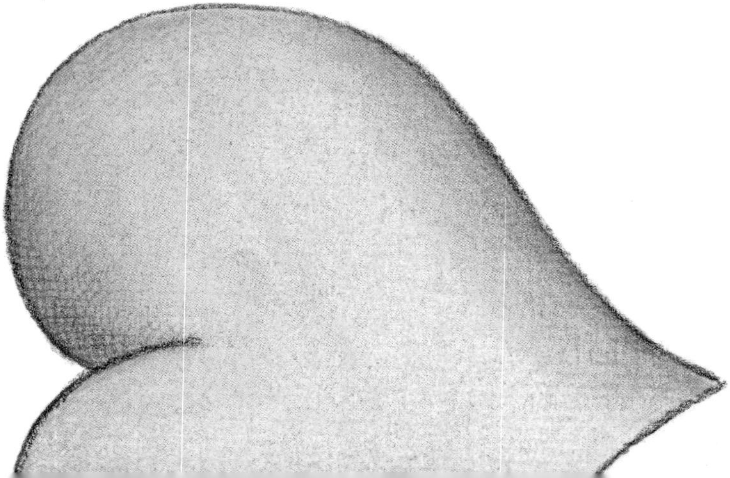

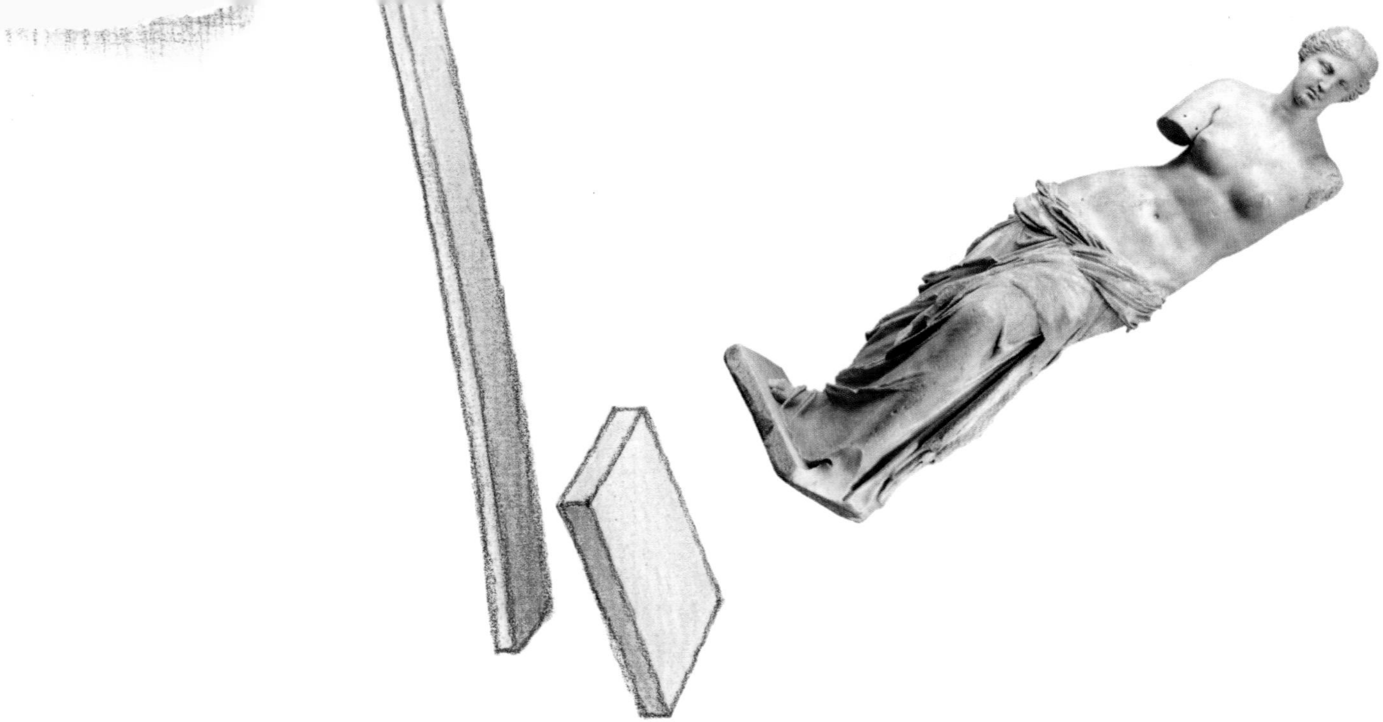

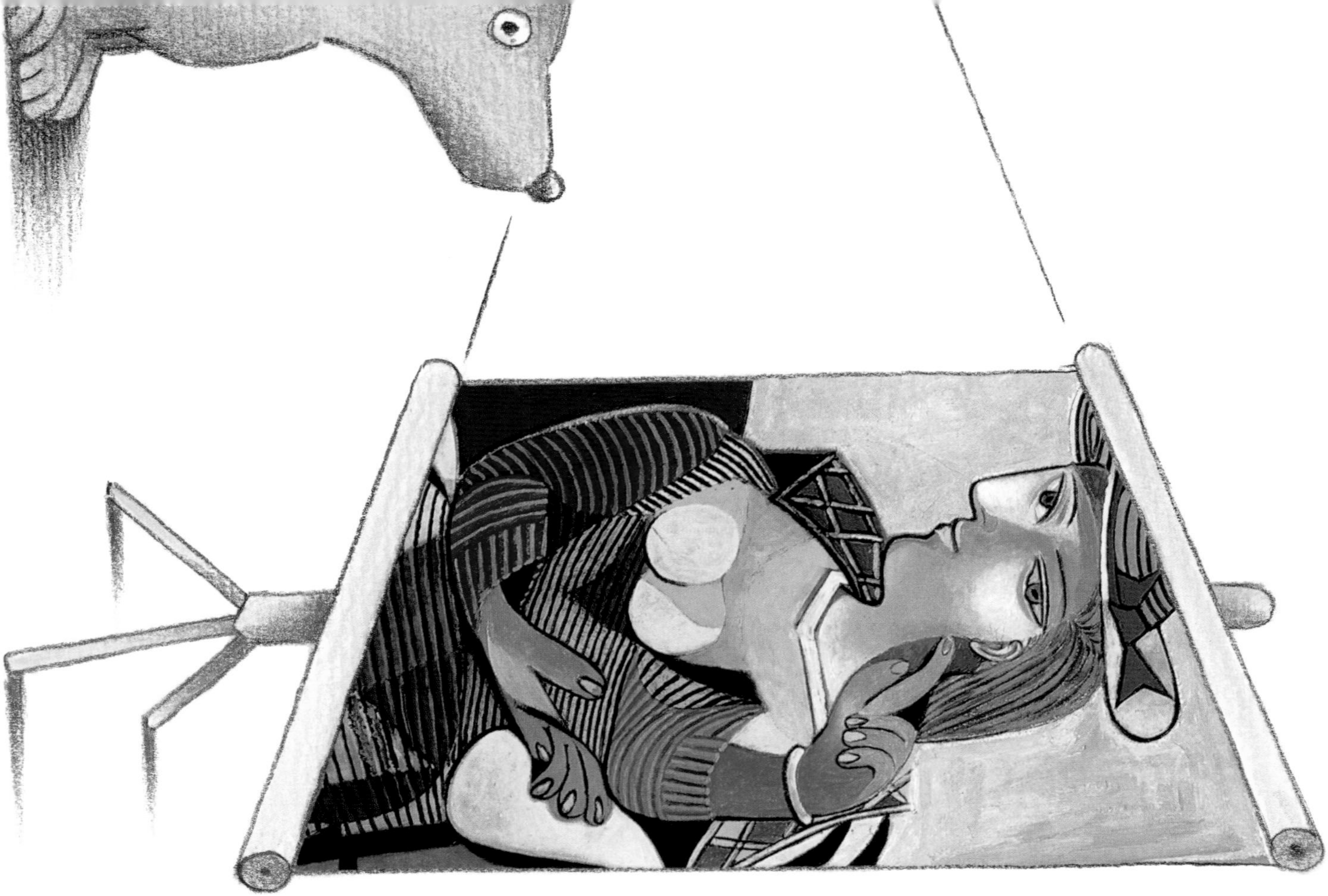

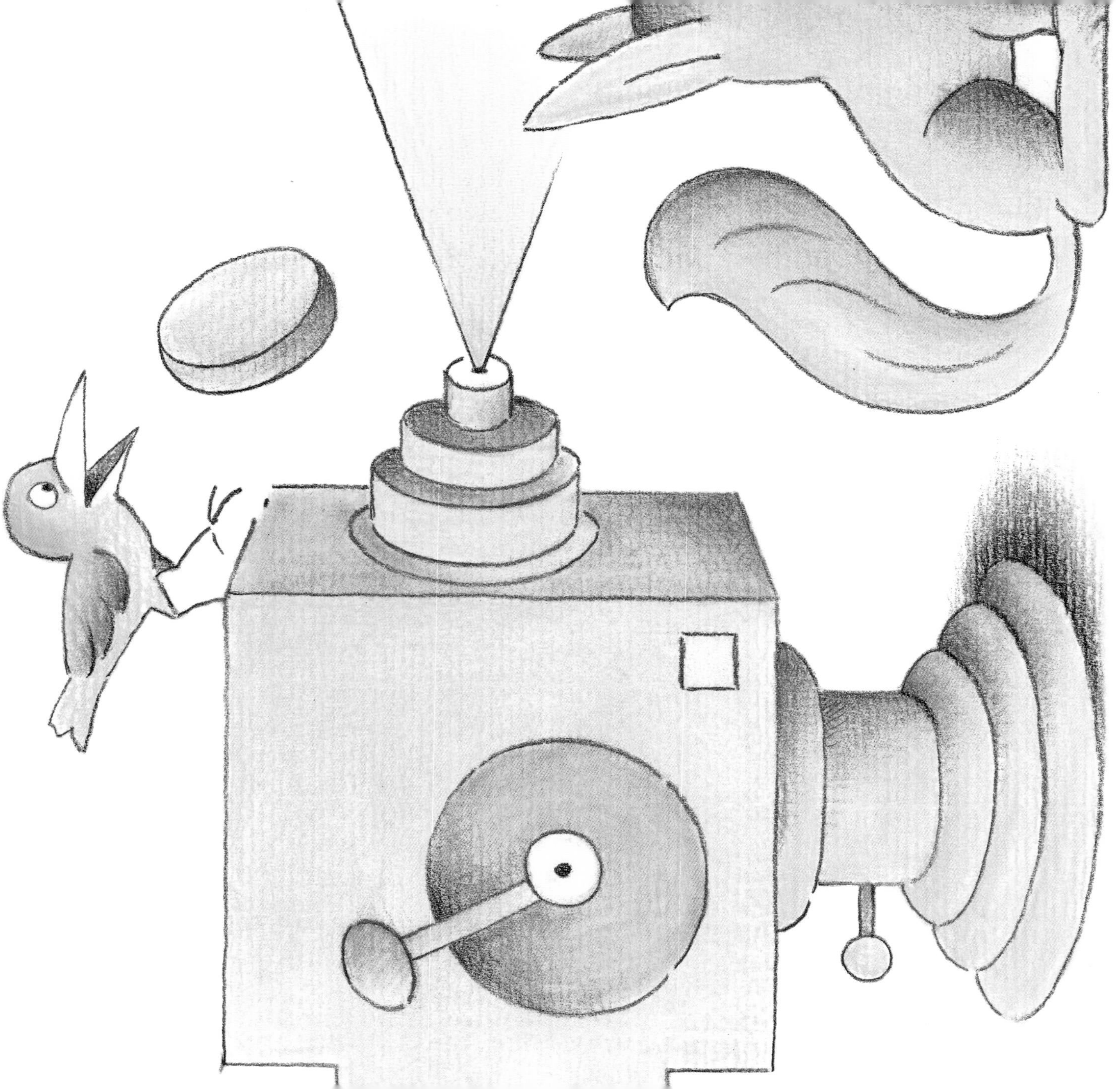

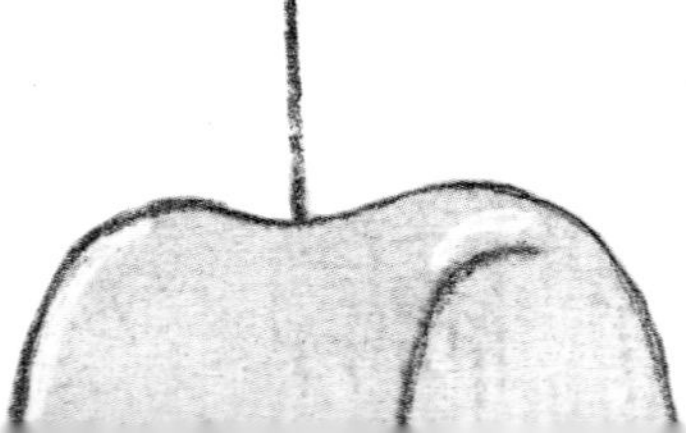

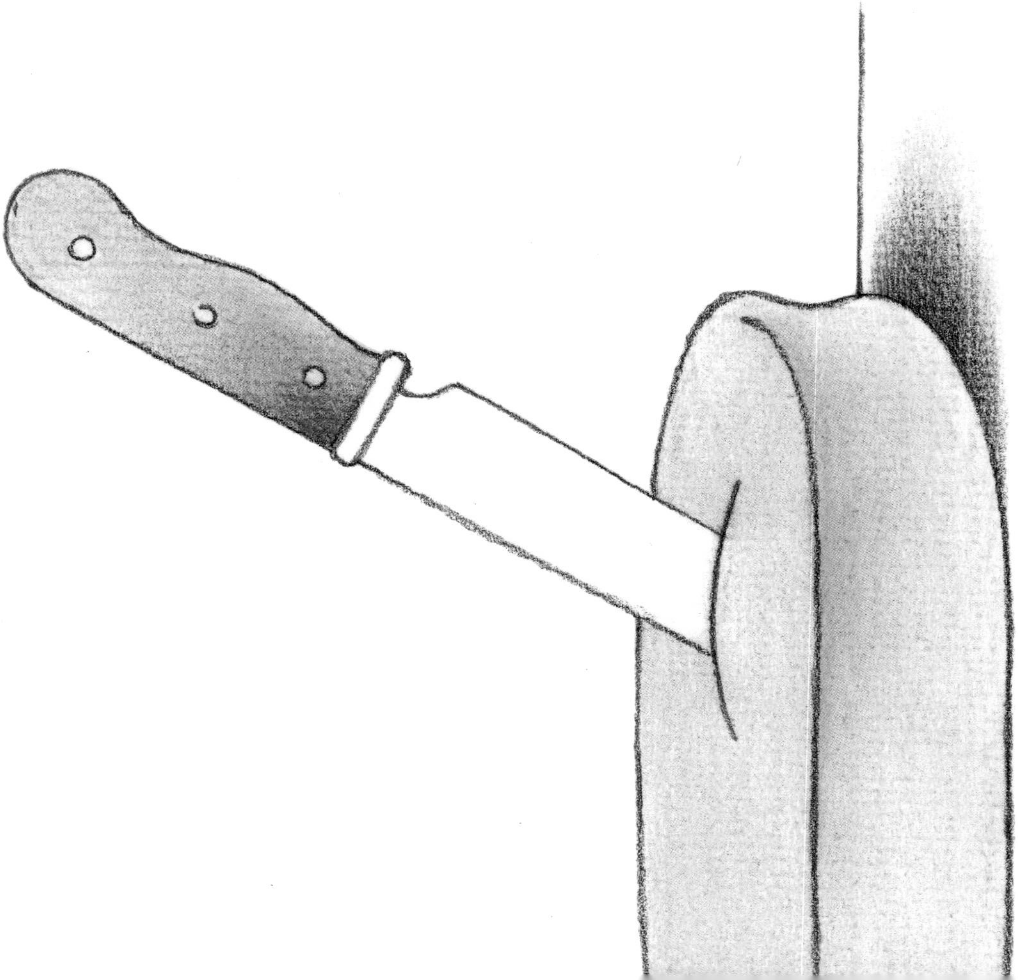

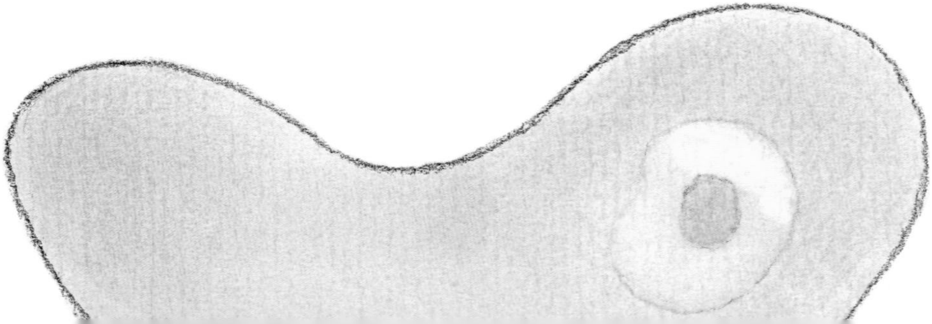

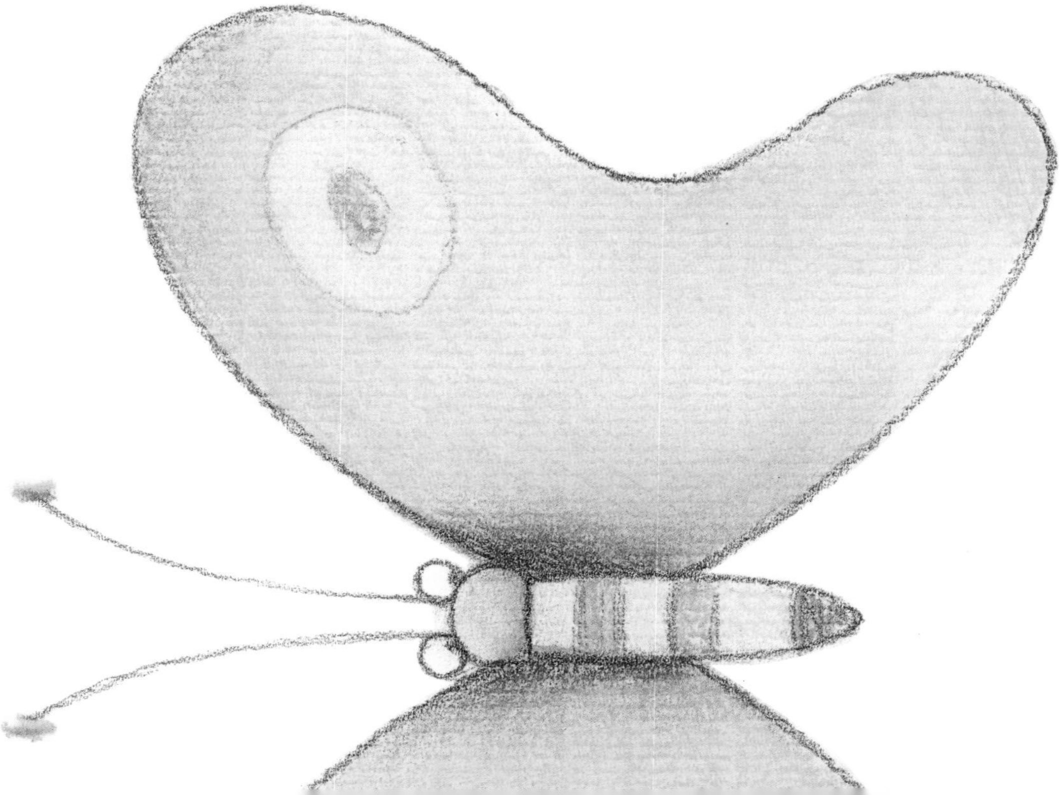

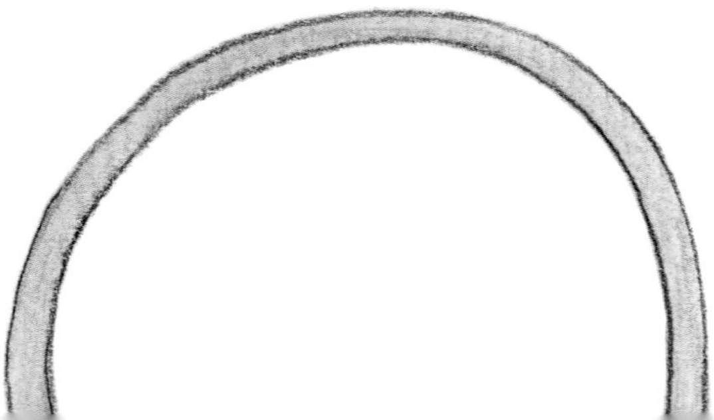

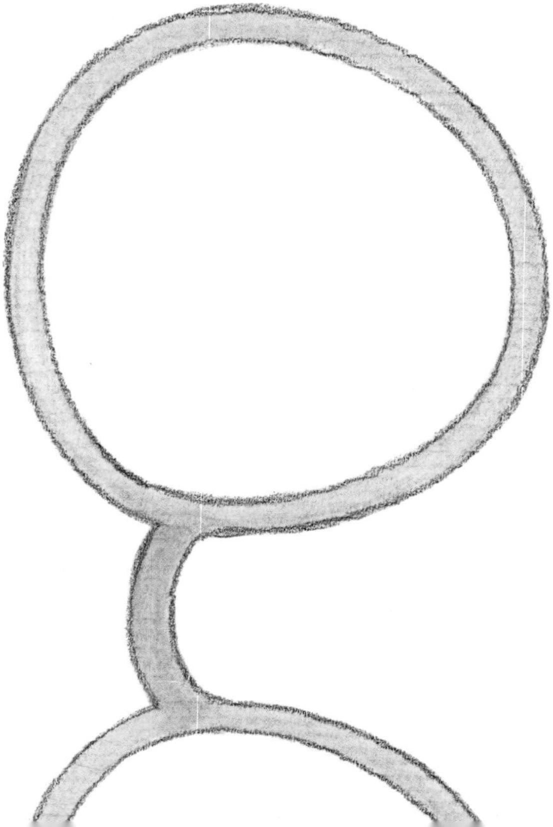

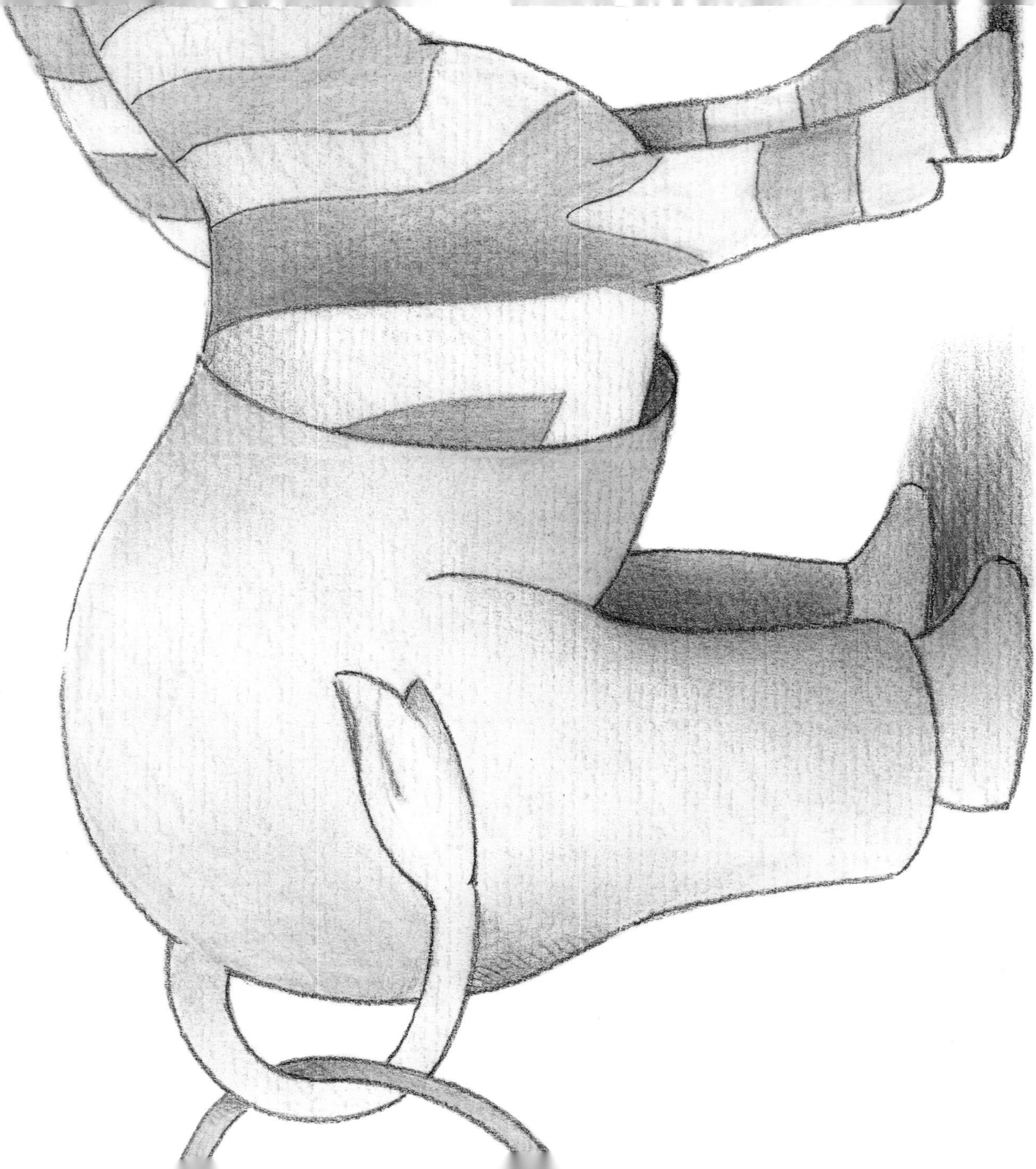

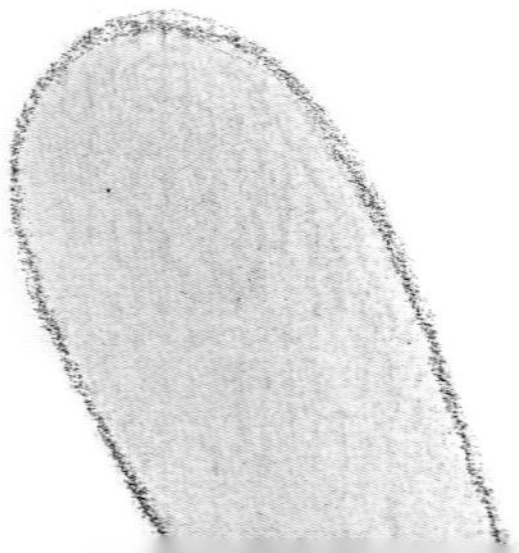

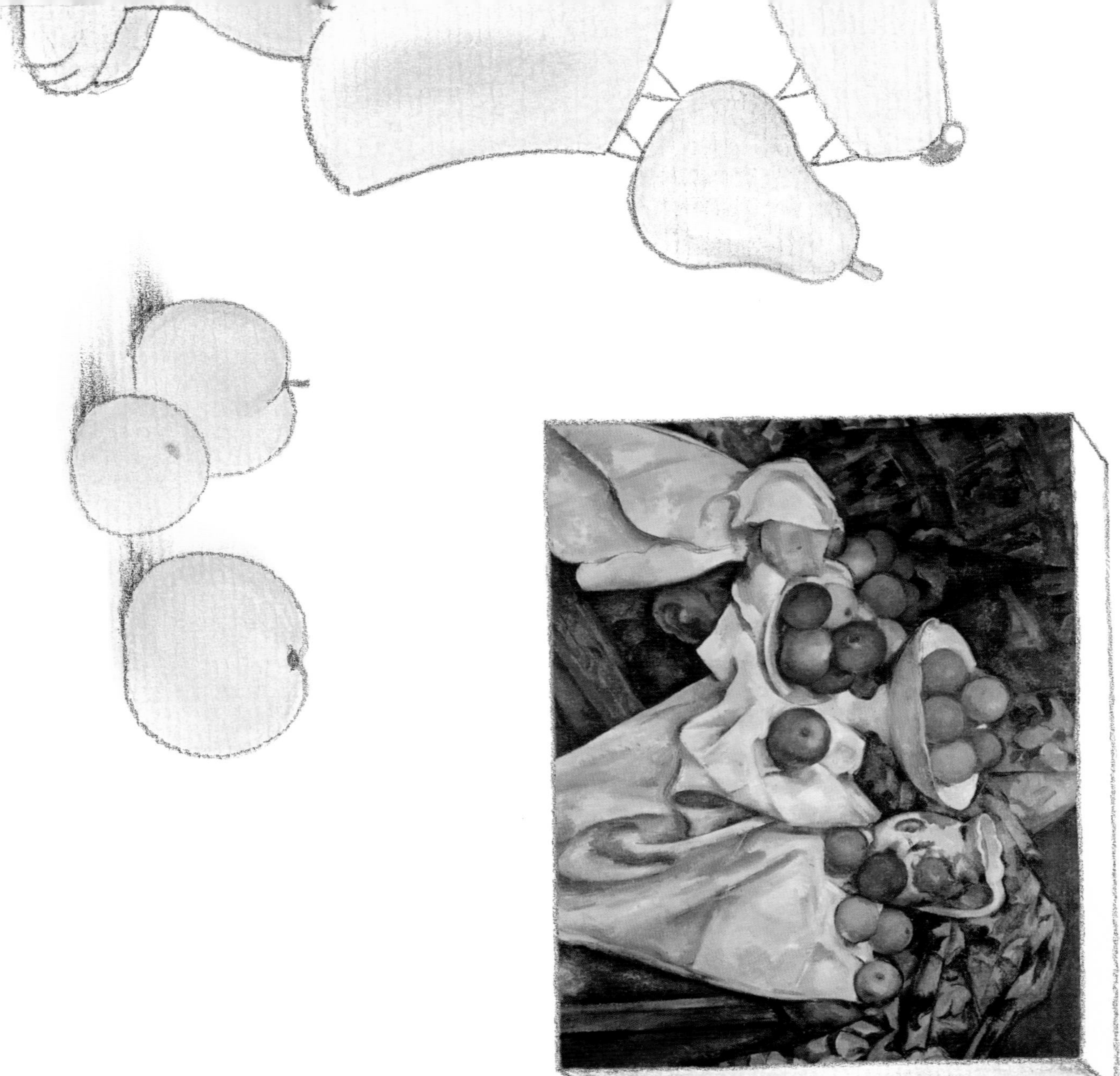

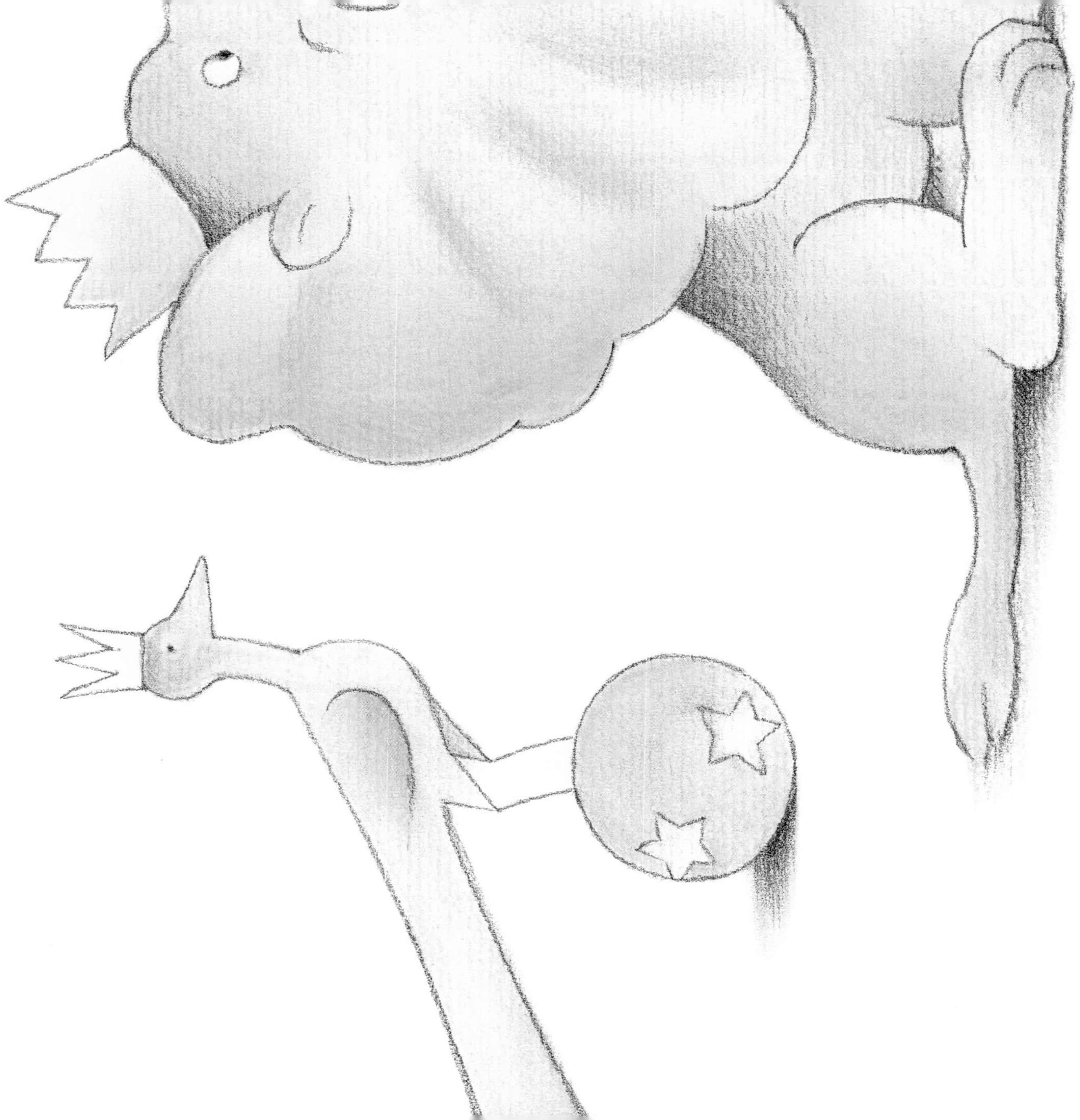

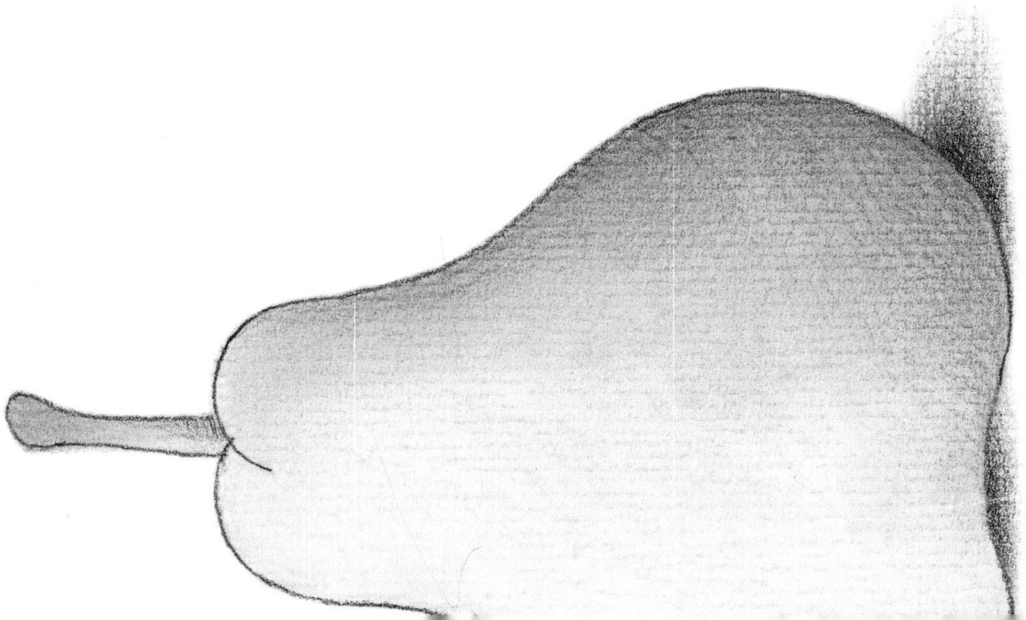

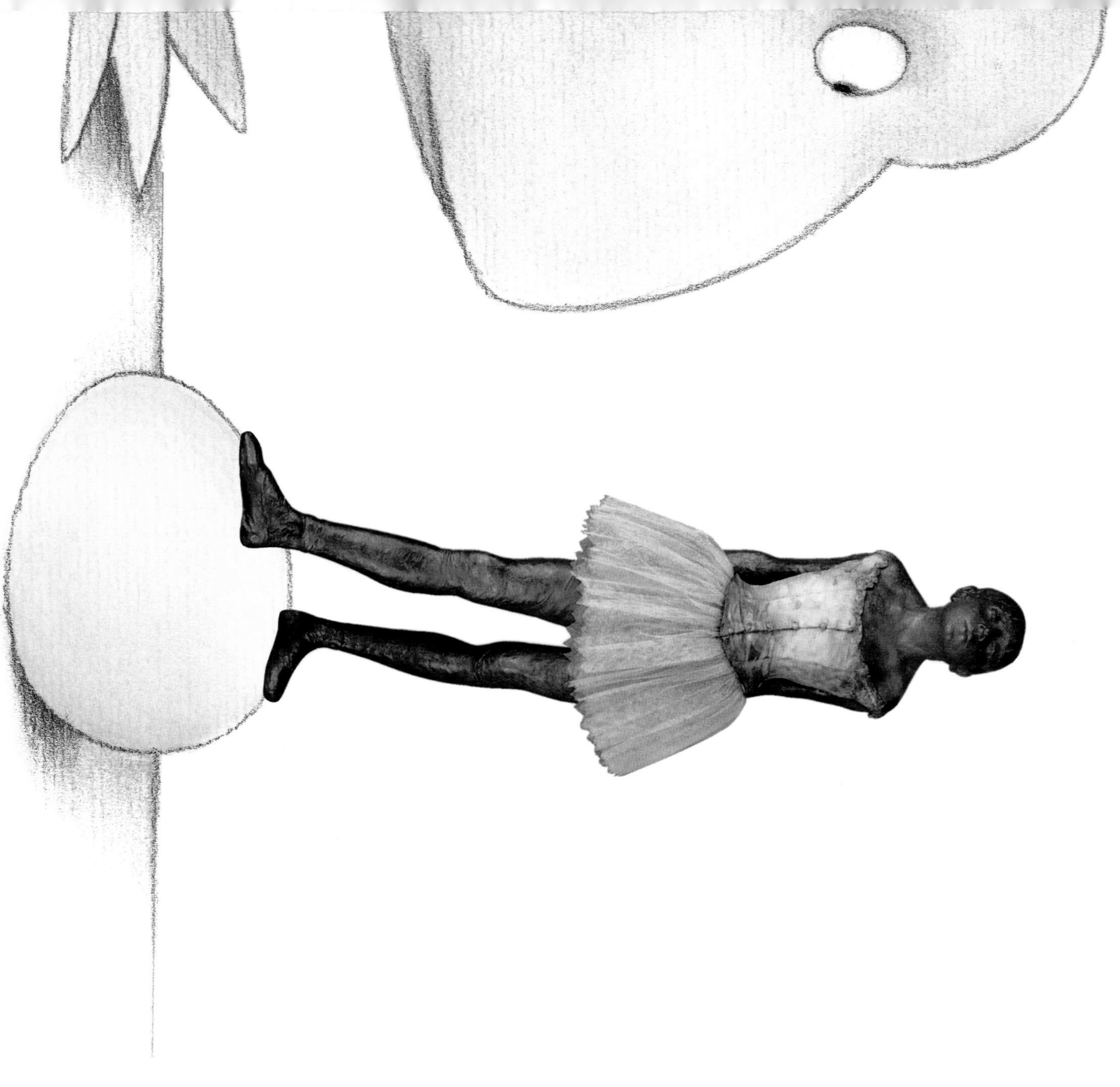

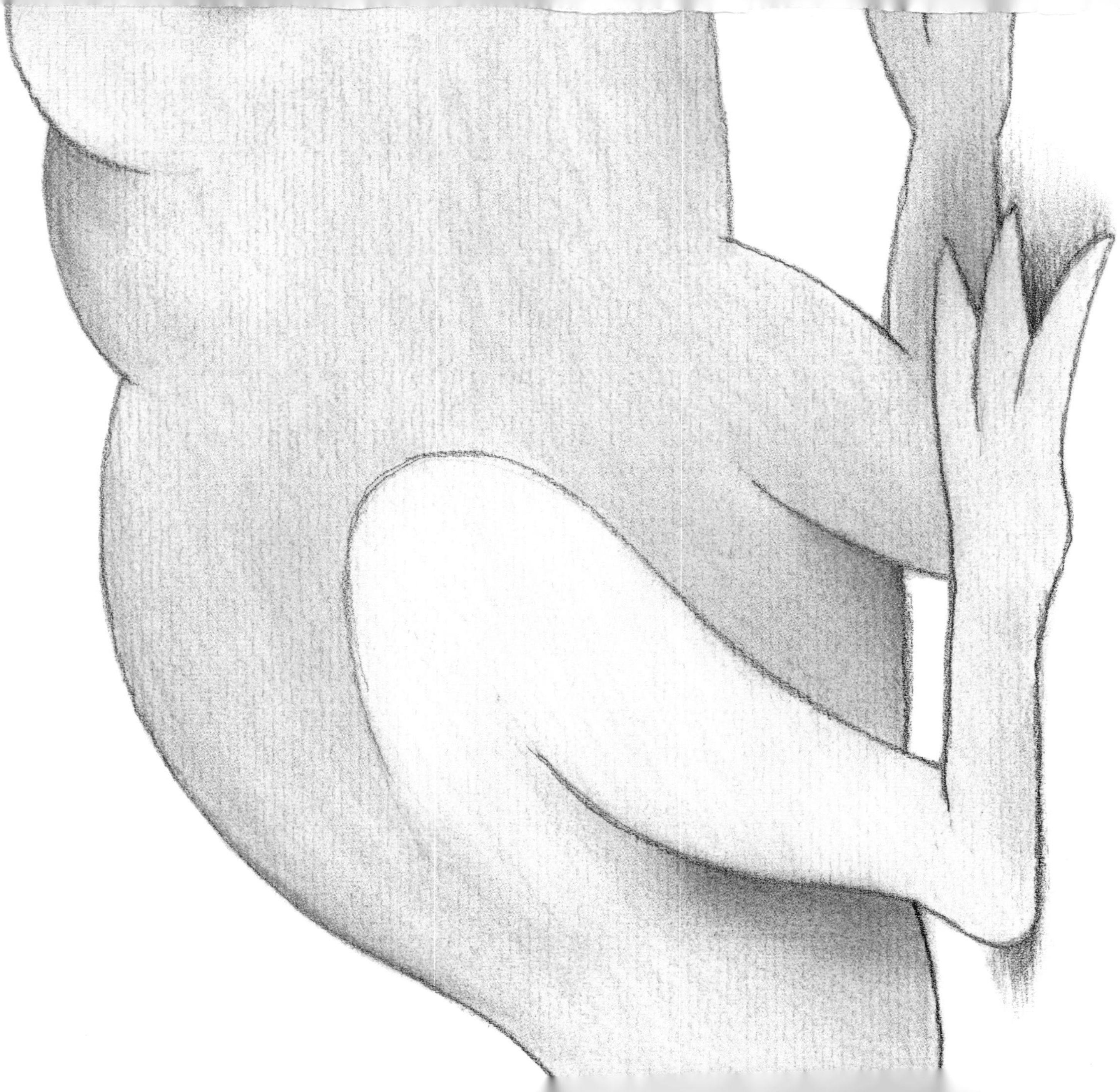

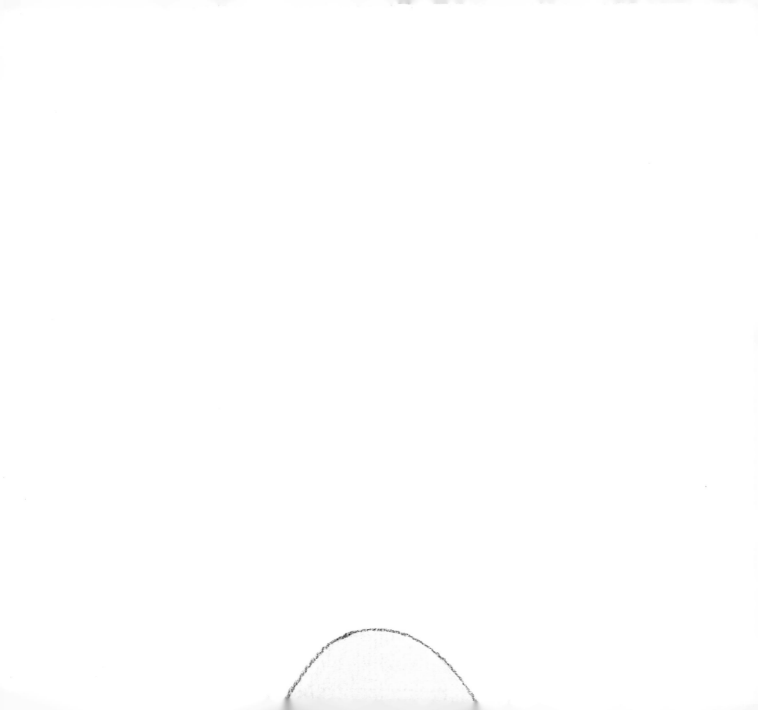

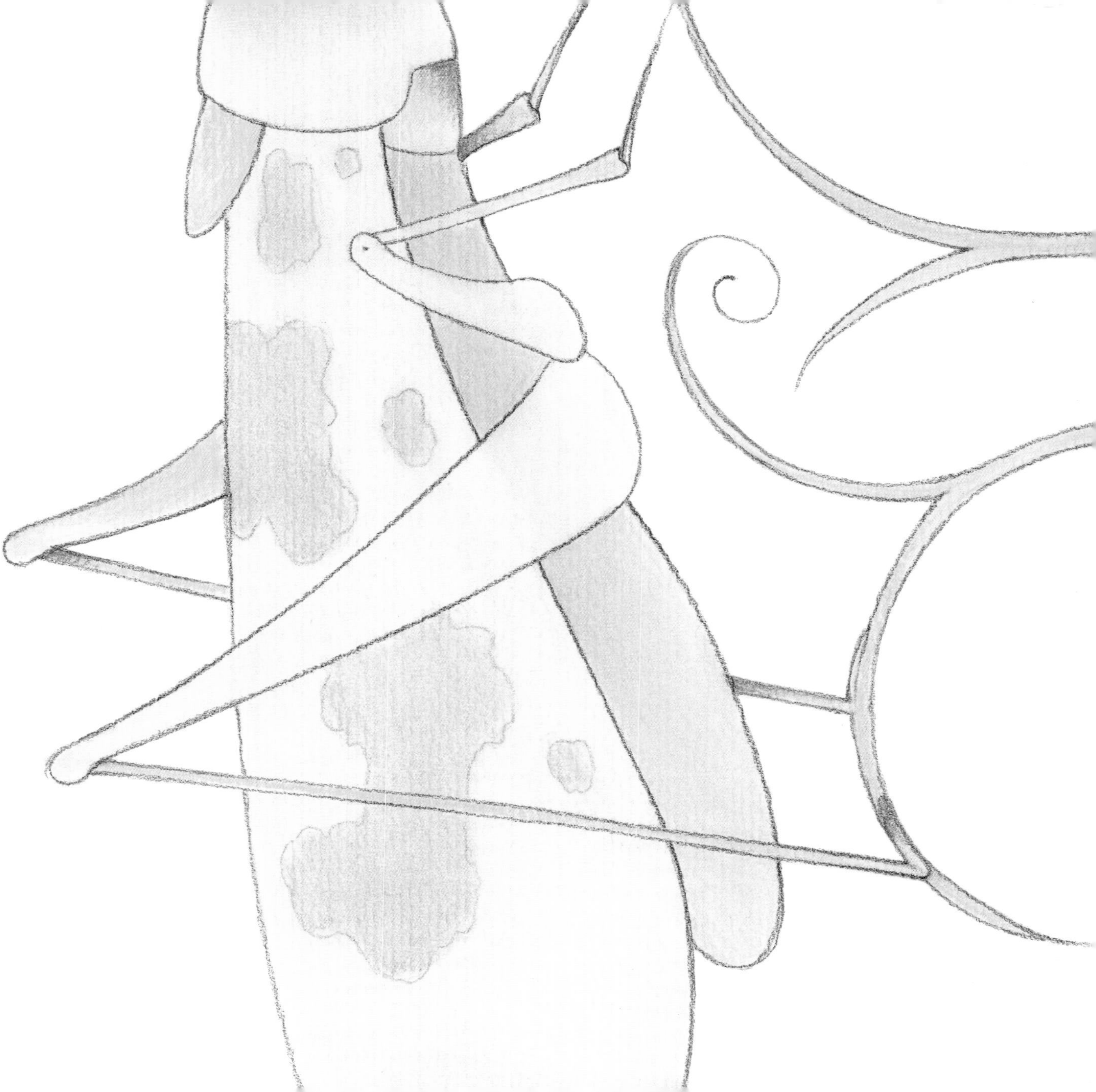